oga
[partially obscured] ailte
leis an téacs

Cló mór
soléite

Bhí Cochaillín Dearg ina
suí go moch ar maidin.
Bhí sí ag cabhrú le Daidí
agus Mamaí.
6
7

Abairtí
simplí

Bhí Daidí ag obair sa choill.
Rug sé ar an tua mhór.
Rith sé go dtí teach
Mhamó.
26
27

Leagan do pháistí 4 – 7 é seo

Ladybird Books Ltd a chéadfhoilsigh faoin teideal *Little Red Riding Hood*
An leagan Béarla

ISBN 978-1-85791-307-1

Arna chlóbhualadh sa tSín

Foilseacháin an Ghúim a cheannach

Siopaí

An Siopa Leabhar (01) 478 3814
An Siopa Gaeilge (074) 973 0500
An Ceathrú Póilí (028) 90 322 811

Ar líne

www.litriocht.com
www.siopagaeilge.ie
www.siopaleabhar.com
www.siopa.ie
www.cic.ie
www.iesltd.ie

An Gúm, Foras na Gaeilge, 63-66 Sráid Amiens, Baile Átha Cliath 1

Cochaillín Dearg

Diana Mayo a mhaisigh

Treasa Ní Ailpín a rinne an leagan Gaeilge

An Gúm
Baile Átha Cliath

Bhí Cochaillín Dearg ina suí go moch ar maidin.

Bhí sí ag cabhrú le Daidí agus Mamaí.

Thug Mamaí ciseán mór
do Chochaillín Dearg.

Bhí arán agus cístí deasa
do Mhamó sa chiseán.

'Bí an-chúramach, a stór,'
arsa Mamaí.

Bhí mac tíre gránna sa choill.

Bhí ocras air.

Chonaic an mac tíre gránna Cochaillín Dearg.

Bhí an-ocras air.

Bhí teach beag álainn ag Mamó.

Bhuail Cochaillín Dearg ar an doras.

Isteach léi.

Bhí Mamó sa leaba.

‘A Mhamó,’ arsa Cochaillín Dearg, ‘tá arán agus cístí deasa agam duit.’

‘Ó, a Mhamó ... do chluasa!’ arsa Cochaillín Dearg.

‘Céard a tharla do do chluasa?’

‘Tá siad mór. Nach bhfuil, a stór!’ arsa Mamó.

'Ó, a Mhamó ... do shúile!' arsa Cochaillín Dearg.

'Céard a tharla do do shúile?'

'Tá siad mór. Nach bhfuil, a stór!' arsa Mamó.

‘Ó, a Mhamó ... d'fhiacla!’ arsa Cochaillín Dearg.

‘Céard a tharla do d'fhiacla?’

‘Fiacla fada géara!’ arsa an mac tíre gránna.

Léim an mac tíre amach as an leaba.

Léim Cochaillín Dearg. Rith sí agus bhéic sí.

Bhéic sí agus rith sí.

Bhí Daidí ag obair sa choill.

Rug sé ar an tua mhór.

Rith sé go dtí teach Mhamó.

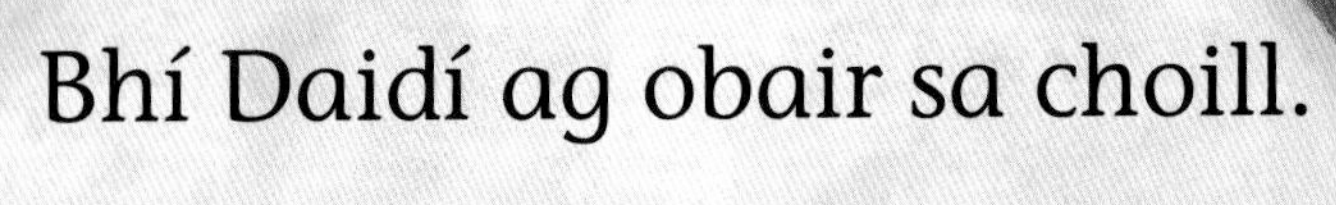

Chonaic an mac tíre gránna an tua mhór.

Léim sé. Rith sé agus bhéic sé.

Rith sé glan amach as an gcoill.

An cuimhin leat céard a tharla?

Freagair na ceisteanna!

- Cá bhfuil Cochaillín Dearg ag dul?
- Cé a fheiceann ag siúl sa choill í?
- Cé atá sa leaba roimpi?
- Cé a thagann i gcabhair uirthi?